Mónica López Valeria Dávila

si YO fuera Monstruo

Ilustraciones de Pablo Tambuscio

Si yo fuera monstruo
gigante y muy feo,
tendría seis brazos
largos hasta el suelo.

Tres pares de patas
y alas transparentes,
dos colmillos largos
y un ojo en la frente.

Orejas en punta,
dedos retorcidos,
cuello de jirafa
y olor a zorrino.

Si yo fuera monstruo
muy horripilante,
yo sé que sería
un monstruo elegante.

Siempre con corbata
y frac andaría.
Y los seis zapatos
muy bien lustraría.

Mis quinientos dientes
siempre cepillados,
para que me mire
la monstrua de al lado.

Si yo fuera monstruo,
viviría en el lago
o en una montaña
de un bosque encantado.

Un monstruito feo,
pero con estilo,
que luce los dientes
grandes y con filo.

Pero yo estaría
un poco solito...
¡Ojalá una monstrua
me diera un besito!

Y entonces... ¡qué lindo!
¡Qué bello sería,
con mi novia monstrua,
compartir la vida!

A cenar afuera
yo la llevaría:
tres chanchos enteros
ella pediría.

De segundo plato,
ocho vacas crudas.
Y después helado
de arañas y orugas.

Si yo fuera monstruo,
iría a la escuela,
con mi guardapolvo
y mochila nueva.

En el primer banco
yo me sentaría.
¡Pobre la maestra,
cómo gritaría!

Pero hoy, al espejo,
muy bien me he mirado
y no he visto un monstruo
peludo ni alado.

No tengo seis brazos
largos hasta el suelo.
Y el espejo dice
que yo no soy feo.

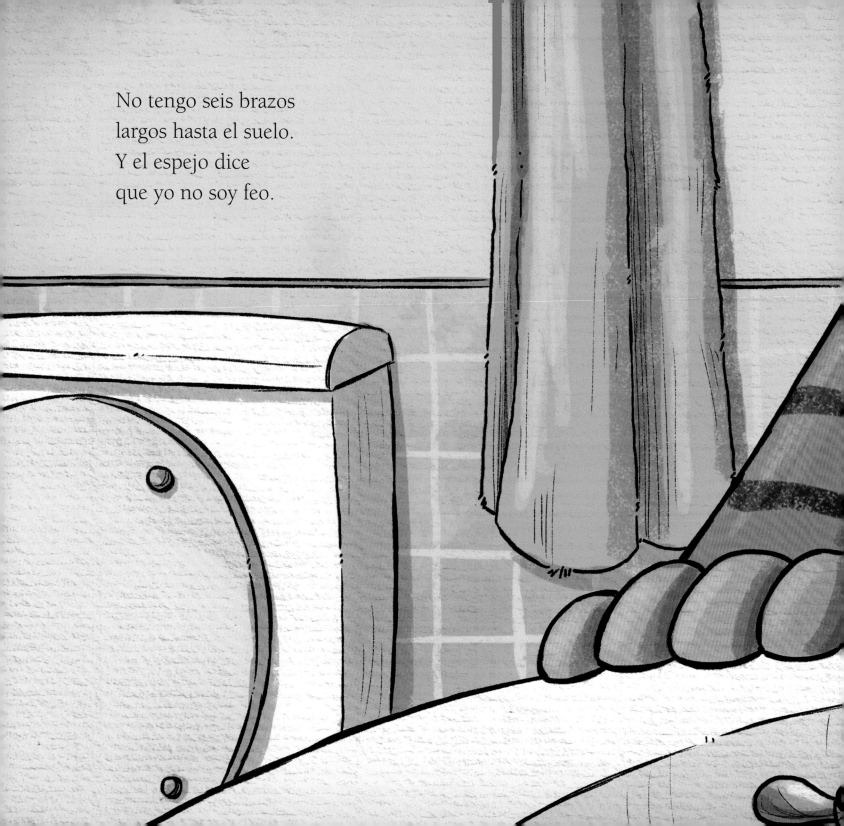

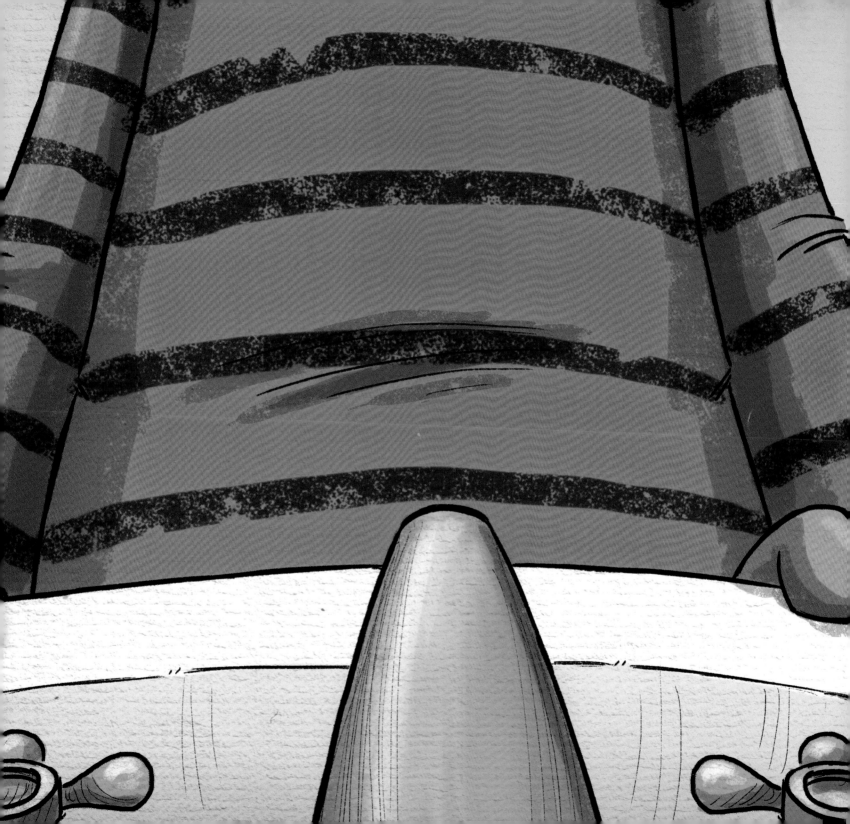

No tengo colmillos
ni un ojo en la frente.
Y aunque diga "Buuuu...",
yo no asusto gente.

Así que renuncio
a ser un monstruito.
Si hasta me parece...
que soy un niñito.

Serie **Si Yo fuera**

López, Mónica
    Si yo fuera un monstruo / Mónica López y Valeria
Dávila. - 1a ed. - Ciudad Autónoma de Buenos Aires :
AZ, 2013.
    40 p. ; 21x15 cm.

    ISBN 978-987-35-0194-4

    1. Literatura Infantil. I. Dávila, Valeria II. Título
    CDD 863.928 2

Fecha de catalogación: 10/09/2013

Diseño de tapa: Santiago Di Camillo

©**A-Z editora** S. A.
Paraguay 2351 (C1121ABK)
Ciudad Autónoma de Buenos Aires, Argentina
Tel.: (+54 11) 4961-4036
Fax: (+54 11) 4961-0089
contacto@az.com.ar
AZ.com.ar

Argentina

Libro de edición argentina
Hecho el depósito según la Ley 11.723
Derechos reservados

Mónica López

Me encanta jugar con las palabras; descubrir lo que dicen, lo que no dicen, cómo suenan… Disfruto cuando con ellas puedo abrir caminos para expresar lo que siento y lo que pienso.

Tenía nueve años cuando me regalaron mi primer "diario íntimo" y desde entonces supe que las palabras tendrían un lugar muy importante en mi vida.

Valeria Dávila

Desde chica, me gusta mucho leer historias. Grandes, chiquitas, redondas, juguetonas y saltarinas.

En cuarto grado escribí una composición, y a mi seño le gustó tanto que se la leyó a la Directora, a mis compañeros y a un perrito salchicha que pasaba. Desde ese día, las historias me revolotean adentro. Y las escribo, para que vuelen libres.

Pablo Tambuscio

Dibujo desde chico, no sé bien por qué. ¿Será porque todos los chicos dibujan? Me divertía mucho garabateando, inventando personajes, dándoles forma y color, creando mundos infinitos. Pasaron los años, crecí, cambiaron muchas cosas. Pero hoy, aunque ya no soy un chico, sigo dibujando. ¿Por qué no hacerlo si está buenísimo?

A-Z editora S. A. ha dado término a la
impresión de esta obra en febrero de 2014.

Impreso en China

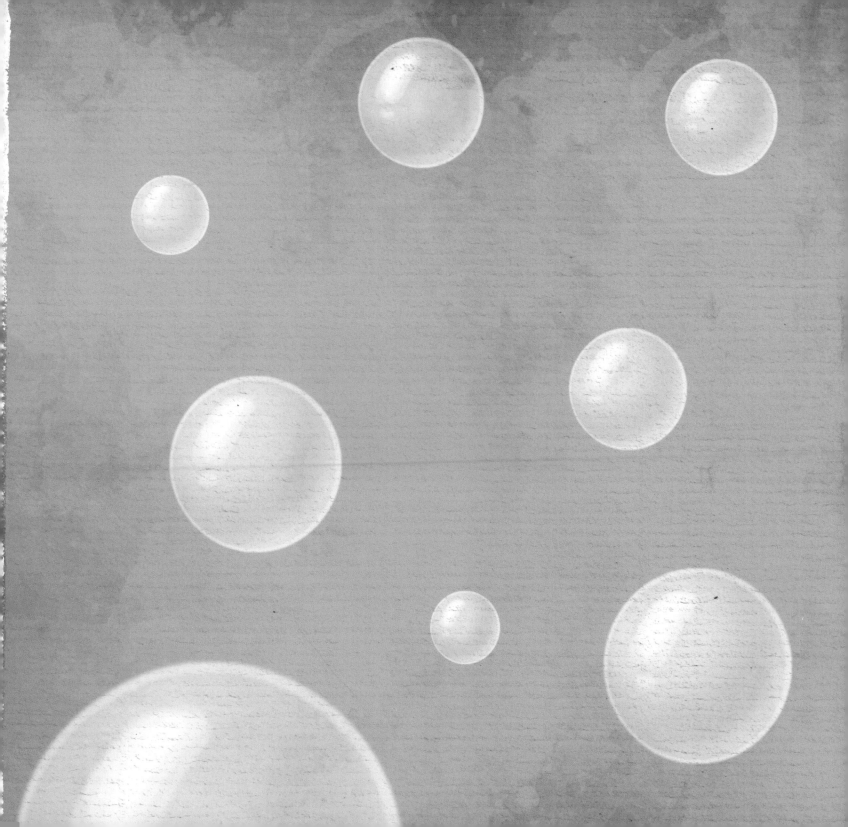